楷书简介

楷书又称正书，或称真书。宋《宣和书谱》："汉初有王次仲者，始以隶字作楷书"，认为楷书是由古隶演变而成的。据传："孔子墓上，子贡植的一株楷树，枝干挺直而不屈曲。"楷书本笔画简爽，必须如楷树之枝干也。

初期"楷书"，仍残留极少的隶笔，结体略宽，横画长而直画短。观其特点，诚如翁方纲所说："变隶书之波画，加以点啄挑，仍存古隶之横直。"

古人学书法有这一种说法："学书须先楷法，作字必先大字。大字以颜为法，中楷以欧为法，中楷既熟，然后敛为小楷，以钟王为法。"然根据多年实验研究结果表明：初学写字，不宜先学太大的字，中楷比较适合。

小楷，顾名思义，是楷书之小者，创始于三国魏时的钟繇，他原是位最杰出的隶书权威大家，所作楷书的笔意，亦脱胎于汉隶，笔势恍如飞鸿戏海，极生动之致。惟结体宽扁，横画长而直画短，仍存隶分的遗意，然已备尽楷法，实为正书之祖。到了东晋王羲之，将小楷书法更加以悉心钻研，使之达到了尽善尽美的境界，亦奠立了中国小楷书法优美的欣赏标准。

一般说来，写小字与写大字是大不相同的，其原则上是：写大字要紧密无间，而写小字必要使其宽绰有余。也就是说：写大字要能做到小字似的精密；而写小字要能做到有大字似的宽绰，故古人所谓"作大字要如小字，而作小字要如大字。"又苏东坡论书有"大字难于结密而无间，小字难于宽绰有余"的精语。

写小字的重心与笔画的配合，则与大字无大差异。至于运笔，则略有不同。小字运笔要圆润、娟秀、挺拔、整齐；大字要雄壮、厚重。大字下笔时用逆锋（藏锋），收笔时用回锋；小字下笔时则不必用逆锋，宜用尖锋，收笔时宜用顿笔或提笔。譬如写一横，起笔处或尖而收笔处则圆；写一竖，起笔或略顿，收笔则尖；撇笔则起笔或肥而收笔瘦；捺笔则起笔或瘦而收笔肥，同时也要向左向右略作弧形，笔画生动而有情致。点欲尖而圆，挑欲尖而锐，弯欲内方而外圆，钩半曲半直。运笔灵活多变，莫可限定。尤其是整篇字，要笔笔不同，而又协调一致，一行字写出来，错落有致，却又一直在一条线上，如是则行气自然贯穿，望之如串串珍珠项链，神采飞扬。

写小字为古代日用必需的技能，以前科举应试时，阅卷的人大半是先看字，然后再看文章。字如不好，文章再好也要受影响。朝考状元、翰林，尤注重书法。是故凡状元、翰林的小字，都是精妙的。如今硬笔盛行，用毛笔写小字的人不多，但用硬笔临写小楷字帖有事半功倍的明显进效。

小楷字帖甚多，传世的墨拓中，要以晋唐小楷的声名最为显赫。其中通常包括了魏时钟繇的《宣示帖》《荐季直表》，东晋王羲之的《乐毅论》《曹娥碑》《黄庭经》，王献之的《洛神赋十三行》、唐代钟绍京的《灵飞经》等。还有元代赵孟頫、明代王宠、祝允明等小楷作品的墨迹影印本也是非常好的范本。

图书在版编目（CIP）数据

书法等级考试教程·楷书/荆霄鹏著.－太原：山西人民
出版社，2012.2（2019.6重印）
ISBN 978-7-203-07493-9

Ⅰ.①书… Ⅱ.①荆… Ⅲ.①楷书-书法-水平考试
-教材 Ⅳ.①J292.11

中国版本图书馆 CIP 数据核字（2011）第 231682 号

书法等级考试教程·楷书

著　　者：荆霄鹏
责任编辑：莫晓东　任秀芳
策划编辑：胡晓燕

出 版 者：山西出版传媒集团·山西人民出版社
地　　址：太原市建设南路 21 号
邮　　编：030012
电　　话：0351-4922220　4955996　4956039
　　　　　0351-4922127（传真）4956038（邮购）
E-mail：sxskcb@163.com　发行部
　　　　　sxskcb@126.com　总编室
网　　址：www.sxskcb.com

经 销 者：山西出版传媒集团·山西人民出版社
承 印 者：崇阳文昌印务股份有限公司

开　　本：889mm×1194mm　1/16
印　　张：3
字　　数：40 千字
版　　次：2012 年 2 月　第 1 版
印　　次：2019 年 6 月　第 12 次印刷
书　　号：ISBN 978-7-203-07493-9
定　　价：20.00 元

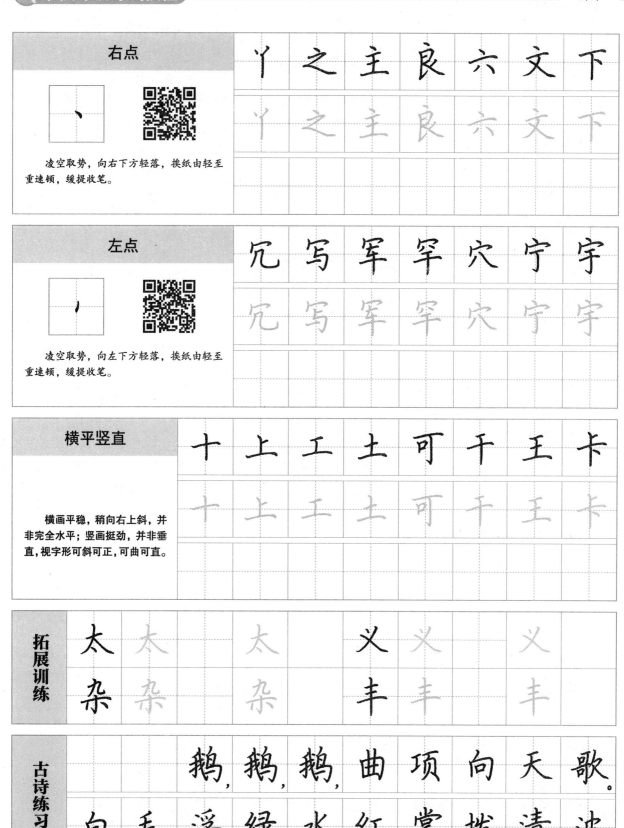

右点		丫	之	主	良	六	文	下

凌空取势，向右下方轻落，挨纸由轻至重速顿，缓提收笔。

左点		冗	写	军	罕	穴	宁	宇

凌空取势，向左下方轻落，挨纸由轻至重速顿，缓提收笔。

横平竖直		十	上	工	土	可	干	王	卡

横画平稳，稍向右上斜，并非完全水平；竖画挺劲，并非垂直，视字形可斜可正，可曲可直。

拓展训练

太   太   太   义   义   义
杂   杂   杂   丰   丰   丰

古诗练习

鹅，鹅，鹅，曲 项 向 天 歌。
白 毛 浮 绿 水，红 掌 拨 清 波。

书法知识   篆书：篆书是一种呈现曲直相映乐趣的文字。广义的篆书，包括甲骨文及金文。一般将秦以前的古文及籀文称之为大篆，而由李斯整理出来的文字称之为小篆。

读者问卷

　　为向"墨点"的读者们提供优质图书,让大家在最短的时间内练出最好的字,达到事半功倍的效果,我们精心设计了这份问卷调查表,希望您积极参与,一旦您的意见被采纳,将会得到一份"墨点字帖"赠送的温馨礼物哦!

姓　名		性　别	
年龄(或年级)		职　业	
QQ		电　话	
地　址		邮　编	

1.您购买此书的原因?(可多选)

□封面美观　　□内容实用　　□字体漂亮　　□价格实惠　　□老师推荐　　□其他_____

2.您对哪种字体比较感兴趣?(可多选)

□楷书　　□行楷　　□行书　　□草书　　□隶书　　□篆书　·□仿宋　　□其他_____

3.您希望购买包含哪些内容的字帖?(可多选)

□有技法讲解　　□与语文教材同步　　□与考试相关　　□速成教程类　　□常用字

□国学经典　　□名言警句　　□诗词歌赋　　□经典美文　　□人生哲学

□心灵小语　　□禅语智慧　　□作品创作　　□原碑类硬笔字帖　　□其他_____

4.您喜欢哪种类型的字帖?(可多选)

纸张设置:□带薄纸,以描摹练习为主　　　□不带薄纸,以描临练习为主

　　　　　□摹、描、临的比例为_____

装帧风格:□古典　　　□活泼　　　□现代　　　□素雅　　　□其他_____

内芯颜色:□红格线、黑字　　□灰格线、红字　　□蓝格线、黑字　　□其他_____

练习量:□每天_____面

5.您购买字帖考虑的首要因素是什么?是否考虑名家?喜欢哪种风格的字体?

_____

6.请评价一下此书的优缺点。您对字帖有什么好的建议?

_____

7.您在练字过程中经常遇到哪些困难?需要何种帮助?

_____

地　　址:武汉市洪山区雄楚大街268号出版文化城C座603室　　邮编:430070

收信人:"墨点字帖"编辑部　　　　电话:027-87391503　　　　QQ:3266498367

E-mail:3266498367@qq.com　　　天猫网址:http://whxxts.tmall.com

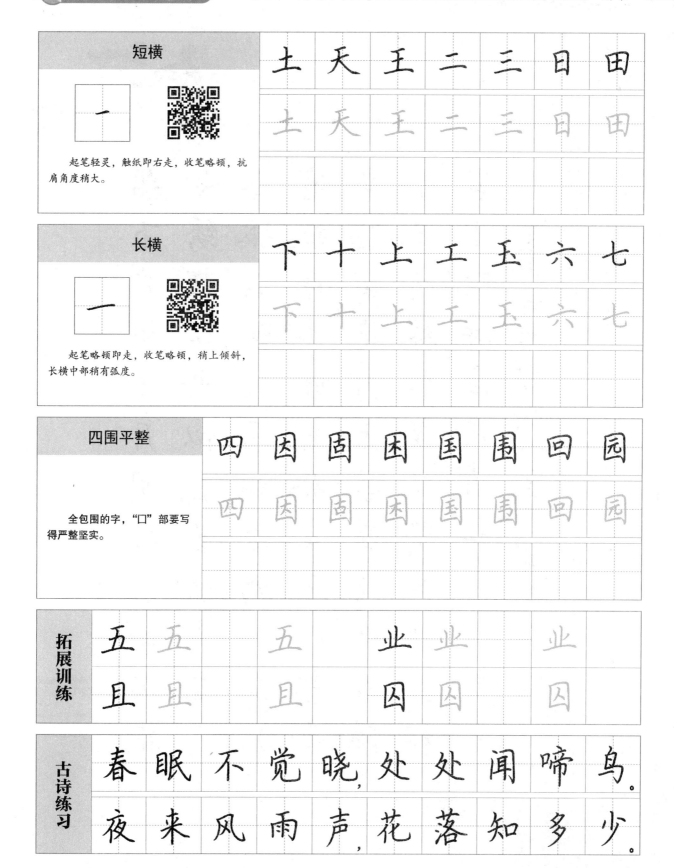

| 短横 | | 土 | 天 | 王 | 二 | 三 | 日 | 田 |

起笔轻灵，触纸即右走，收笔略顿，抗肩角度稍大。

| 长横 | | 下 | 十 | 上 | 工 | 玉 | 六 | 七 |

起笔略顿即走，收笔略顿，稍上倾斜，长横中部稍有弧度。

| 四围平整 | | 四 | 因 | 固 | 困 | 国 | 围 | 回 | 园 |

全包围的字，"口"部要写得严整坚实。

拓展训练

五　　　　五　　　业　业　　业
且　　　　且　　　囚　囚　　囚

古诗练习

春 眠 不 觉 晓， 处 处 闻 啼 鸟。
夜 来 风 雨 声， 花 落 知 多 少。

书法知识　隶书：隶书的出现，是为了适应日益繁复的文书处理。为适应快速书写的要求，秦狱吏程邈整理出了这种方广字体，改变了篆书的结构，强调横平竖直、间架紧密。隶书写起来比篆书方便很多，为后代子孙节省了许多宝贵的时间，在学术上亦具有极大的价值。

船下广陵去月明征虏亭山花

如绣颊江火似流萤众鸟高飞

尽孤云独去闲相看两不厌只

有敬亭山昨日登高罢今朝更

举觞菊花何太苦遭此两重阳

今日竹林宴我家贤侍郎三杯

容小阮醉后发清狂

李白诗四首戊子孟春霄鹏抄

短竖							
	日	田	口	日	尖	功	左

起笔轻灵，触纸即下走，收笔略顿，一般情况下略带斜势，与右部呼应。

长竖							
	干	邓	牛	丰	下	米	样

长竖分为悬针竖和垂露竖。起笔稍顿即向下行笔，悬针竖至收笔处渐提笔出锋，垂露竖顿笔收笔即可。

横笔等距							
	三	王	日	目	月	田	其	里

横笔之间如果没有点、撇、捺的，间距基本相等。

拓展训练

川 尘 阳 画

古诗练习

床 前 明 月 光，疑 是 地 上 霜。
举 头 望 明 月，低 头 思 故 乡。

书法知识 　楷书：楷书是在汉朝时以隶书字体作楷法加以改进的书体，今人称之为正楷。由于楷书写起来比隶书方便，因此汉朝人们都采用它以适应实际生活的需要。至唐代大盛，出现众多楷书名家。

君为女萝草妾作菟丝花轻条不

自引为逐春风斜百丈托远松缠

绵成一家谁言会面易各在青山

崖女萝发馨香菟丝断人肠枝枝

相纠结叶叶竞飘扬生子不知根

因谁共芬芳中巢双翡翠上宿紫鸳鸯鸯若

识二草心海潮亦可量李白诗霄鹏抄

短撇	千	六	夭	各	铁	秋	季
起笔重顿，折笔向左下，迅速出锋，短而锋利。角度视具体情况而定。	千	六	夭	各	铁	秋	季

斜撇	人	义	又	大	左	在	勿
起笔重顿，即向左下行笔，行笔过半则渐提出锋，舒展劲挺，忌软弱无力。	人	义	又	大	左	在	勿

竖笔等距	曼	要	贾	则	而	由	皿	中
竖笔之间如果没有点、撇、捺的，间距基本相等。	曼	要	贾	则	而	由	皿	中

拓展训练	生	生		生		本	本		本
	曲	曲		曲		顺	顺		顺

古诗练习	白	日	依	山	尽，	黄	河	入	海	流。
	欲	穷	千	里	目，	更	上	一	层	楼。

书法知识 　　行书：行书介于楷书与草书之间，是楷书的变体。一般认为行书起源于东汉刘德升，至魏初锺繇稍变其异。二王造其极，行书乃大行于世。东晋王羲之的《兰亭序》可为行书代表。

结发未识事，所交尽豪雄。却秦不受赏，击晋宁为功。托身白刃里，杀人红尘中。当朝揖高义，举世称英雄。小节岂足言，退耕春陵东。归来无产业，生事如转蓬。一朝乌裘敝，百镒黄金空。弹剑徒激昂，出门悲路穷。吾兄青云士，然诺闻诸公。所以陈片言，片言贵情通。棣华倘不接，甘与秋草同。

李白诗　荆霄鹏书

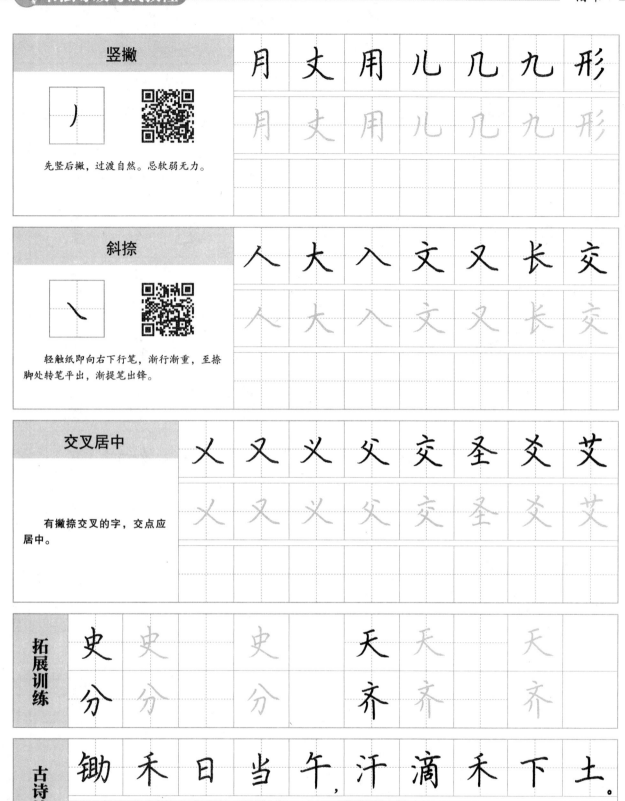

竖撇	月	丈	用	儿	几	九	形

先竖后撇，过渡自然。忌软弱无力。

斜捺	人	大	入	文	又	长	交

轻触纸即向右下行笔，渐行渐重，至捺脚处转笔平出，渐提笔出锋。

交叉居中	乂	又	乂	父	交	圣	爻	艾

有撇捺交叉的字，交点应居中。

拓展训练

史　　　史　　天　　天
分　　　分　　齐　　齐

古诗练习

锄 禾 日 当 午， 汗 滴 禾 下 土。
谁 知 盘 中 餐， 粒 粒 皆 辛 苦。

书法知识　草书：草书的名目相当多，如草篆、草隶、狂草等，其结构省简，笔画纠连，书写流畅迅速，不易识别。然而也由于有以上的特点，故有"书已尽而意不止，笔虽停而势不穷"之妙。东晋王献之，唐代张旭、怀素等，均是草书名家。

朝	辞	白	帝	彩	云	间	千	里
江	陵	一	日	还	两	岸	猿	声
啼	不	住	轻	舟	已	过	万	重
山	黄	师	塔	前	江	水	东	春
光	懒	困	倚	微	风	桃	花	一
簇	开	无	主	可	爱	深	红	爱
浅	红	泉	眼	无	声	惜	细	流
树	阴	照	水	爱	晴	柔	小	荷
才	露	尖	尖	角	早	有	蜻	蜓
立	上	头	锄	禾	日	当	午	汗
滴	禾	下	土	谁	知	盘	中	餐
粒	粒	皆	辛	苦				

岁在戊子孟春中浣宵鹏录于听雨斋

平捺	之	过	达	迁	题	起	蛋
触纸右行一小段转而向右下行笔，渐行渐重，至捺脚转笔向右，渐提出锋。一波三折，注意行笔角度和长短。	之	过	达	迁	题	起	蛋

提	功	坎	玩	冯	江	瑟	提
起笔向右下顿笔，然后迅速向右上提笔出锋，要刚健有力。	功	坎	玩	冯	江	瑟	提

撇捺停匀	木	禾	水	天	永	衣	林	李
有撇捺开张的字，撇捺收放要相互呼应，以求平衡。	木	禾	水	天	永	衣	林	李

拓展训练	延	延		延		地	地		地
	盒	盒		盒		春	春		春

古诗练习	迟	日	江	山	丽，	春	风	花	草	香。
	泥	融	飞	燕	子，	沙	暖	睡	鸳	鸯。

书法知识 经生书：书法术语。唐代佛教盛行，佛经多以端正工稳的小楷手抄而成。抄写佛经的人被称为"经生"，其字则称为"经生书"。这类手抄的经卷，在书法上亦有较高的水准，反映出唐代书法艺术已相当普及。

雨部	雨	雪	零	雯	雾	雷	零	雾

一般处于上部，左竖化点，右竖化钩，中竖要正，四点向中竖靠拢。

佳部	佳	隼	隽	难	雀	雄	雅	雏

四横平行等距，末横最长。

左上包围	历	庆	房	原	虑	危	厕	厘

右下部件略宽于上部，被包围部件结构稳定，包围部件撇画要有力度。

拓展训练：需 雁 雕 厚

古诗练习：三百六十日，日日醉如泥。虽为李白妇，何异太常妻。

书法知识 馆阁体：泛指清朝的一种实用小楷，其特点为点画圆润光洁，字形方正整齐，墨色浓重黑亮。后人概括为"乌、方、光"三字诀。因其主要是为皇家或朝廷服务的，所以被称为"馆阁体"，具体表现在考试和公文等实用性书写中。

弯钩	了	氶	家	啄	手	狗	豹
  起笔轻落下行，即行即弧，然后顿笔向左上出锋，其形勿倒。	了	氶	家	啄	手	狗	豹

卧钩	心	志	必	思	志	忎	悠
  触纸即向右弧形行笔，渐行渐重，至末向左上方出锋，其形呈上抱之势。	心	志	必	思	志	忎	悠

下部迎就	合	金	奋	番	吞	春	奏	蚕
  撇捺开张罩下之字，其下部应上移迎就，其形一体。	合	金	奋	番	吞	春	奏	蚕

拓展训练	猫 忠	猫 忠	猫 忠	逐 暮	逐 暮	逐 暮

古诗练习	空 山 不 见 人， 但 闻 人 语 响。
	返 景 入 深 林， 复 照 青 苔 上。

书法知识　　六分半书：清代郑燮（板桥）法书的别称。郑燮以隶书笔法形体掺入行楷，有时以兰竹用笔出之，自成面目。此书体介于楷隶之间，而隶多于楷。隶书又称"八分"，因此郑燮谑称自己所创非隶非楷的书体为"六分半书"。

| 豕部 | 豕 | 家 | 象 | 豪 | 蒙 | 啄 | 琢 | 逐 |

重心要稳，注意弯钩和撇的写法。

| 身部 | 身 | 射 | 躲 | 躬 | 躯 | 躺 | 谢 | 榭 |

四横平行等距，其身勿宽。在左时末横与长撇不过竖钩。

| 右上包围 | 勺 | 句 | 旬 | 匀 | 氛 | 氙 | 氚 | 司 |

框为主，塑其形，下为辅，笔画内敛，其形稍左。

拓展训练　豚 或　　豕 豚　　 豢 载

古诗练习
惭 君 能 卫 足，叹 我 远 移 根。
白 日 如 分 照，还 归 守 故 园。

书法知识　瘦金体：是宋徽宗赵佶创造的书法字体，其特点是瘦直挺拔，横画收笔带钩，竖画收笔带点，撇如匕首，捺如切刀，竖钩细长，是一种风格相当独特的字体。瘦金体代表作有《楷书千字文》《秾芳诗》等。

| 斜钩 | 戈 | 式 | 或 | 成 | 戍 | 戌 | 我 |

顿笔向右下行，至下部向上出钩，斜画中部稍弯稍细，忌力弱身疲。

| 横折 | 口 | 日 | 丑 | 尸 | 寻 | 里 | 见 |

即横加竖，横末之顿笔即为竖起笔之顿笔。注意转折形态自然，刚健有力。

| 小字勿大 | 小 | 口 | 日 | 吕 | 曰 | 工 | 力 | 白 |

有些独体字字形小，写大显得散漫，应写得小而精神。

| 拓展训练 | 戒书 | | | 武向 | | |

| 古诗练习 | 小 娃 撑 小 艇，偷 采 白 莲 回。 |
| | 不 解 藏 踪 迹，浮 萍 一 道 开。 |

书法知识　榜书：古曰"署书"，又称"擘窠大字"。明代费瀛《大书长语》曰："秦废古文，书存八体，其曰署书者，以大字题署宫殿匾额也。"早在秦统一文字以前，榜书就出现了。第一位书写榜书的书家是秦丞相李斯。

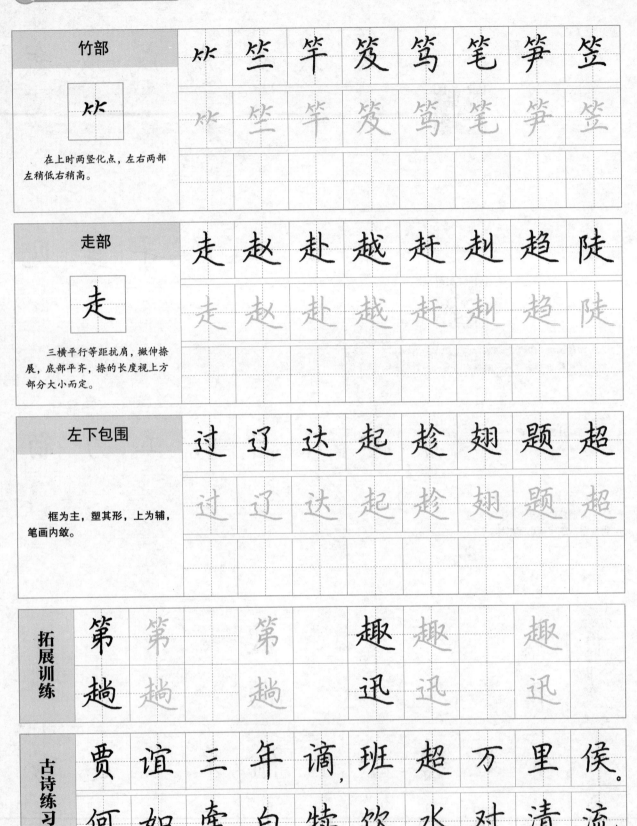

竹部	⺮	竺	竿	筊	笃	笔	笋	笠

⺮

在上时两竖化点，左右两部
左稍低右稍高。

走部	走	赵	赴	越	赶	赳	趋	陡

走

三横平行等距抗肩，撇伸捺
展，底部平齐，捺的长度视上方
部分大小而定。

左下包围	过	辽	达	起	趁	翅	题	超

框为主，塑其形，上为辅，
笔画内敛。

拓展训练

第		第		趣		趣
趋		趋		迅	迅		迅

古诗练习

贾	谊	三	年	谪,	班	超	万	里	侯。
何	如	牵	白	犊,	饮	水	对	清	流。

书法知识　　镫法：镫即灯，也叫拨镫法。是运笔的一种技法，指执笔运指如挑拨灯芯。今人多把"五字执笔法"（即撅、压、钩、格、抵）视为镫法。

横钩	皮	冗	字	虎	予	蛋	胥
	皮	冗	字	虎	予	蛋	胥
触纸即向右行，略抗肩，至横末顿笔并速向左下出钩，像"鸟之视胸"乃妙。							

横撇	又	叉	夕	久	名	各	登
フ	又	叉	夕	久	名	各	登
短横抗肩右行，至末顿笔，作撇之始向左下撇出。							

大字勿小	蓄	鹅	撇	藏	势	横	囊	微
	蓄	鹅	撇	藏	势	横	囊	微
笔画繁多的字，不要刻意写小，笔画要安排妥帖，落落大方。								

拓展训练	沈	沈		沈		友	友		友
	豪	豪		豪		躲	躲		躲

古诗练习	江	上	往	来	人，	但	爱	鲈	鱼	美。
	君	看	一	叶	舟，	出	没	风	波	里。

书法知识 漆书：书体名。①以漆书写的文字。相传在孔子住宅的壁中发现的古文经书，以漆为之，故名。南朝梁周兴嗣《千字文》称："漆书壁经。"②特指清代金农晚年隶书书体。他把点画破圆为方，横粗竖细，似用漆帚刷成。

禾部	禾	季	秃	委	秉	利	秋	秘

禾

竖与撇接。在上时横长竖短，撇捺伸展；在左时横短竖长，长捺化点，长竖靠右。

衣部	衣	表	衰	衷	衾	袅	袭	装

衣

横稍抗肩，首撇宜长，竖提稍左斜，捺笔伸展。

下包围	山	凶	函	出	幽	画	凹	凿

下框稳而健，内部笔画不可张扬。

拓展训练	秀	秀	秀	香	香	香
	裳	裳	裳	袋	袋	袋

古诗练习	燕	谷	无	暖	气,	穷	岩	闭	严	阴。
	邹	子	一	吹	律,	能	回	天	地	心。

书法知识　　回腕法：书法术语，执笔法中的一种。腕掌弯回，手指相对胸前，故称回腕法。清代何绍基写字即采用此法。执笔时腕肘高悬，能提能按，然不能左右起倒，有违常人的生理机能，故一般不采用。

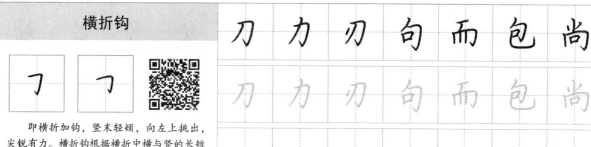

横折钩

即横折加钩，竖末轻顿，向左上挑出，尖锐有力。横折钩根据横折中横与竖的长短又有高低之分，但写法上基本一致。

刀　力　刃　句　而　包　尚

横折提

先写短横，抗肩右行，至末顿笔下行写竖，至末顿笔向右上提出。竖部可微斜。

认　识　让　设　谢　计　鸠

长字勿扁

字形长的字，不要刻意往扁里压，否则失其紧凑。

日　目　月　弓　卜　周　出　重

拓展训练

间　说　　间　说　　高　盾　　高　盾

古诗练习

向　晚　意　不　适，驱　车　登　古　原。
夕　阳　无　限　好，只　是　近　黄　昏。

书法知识

　　指书：亦称"染指书"，指用手指蘸墨作书，北宋时已有。马永卿《懒真子》载："温公（司马光）私第在县字之西北，褚处榜额皆公染指书。其法以第二指尖抵第一指头，指头微曲，染墨书之。"

皿部	皿 盂 孟 盅 盆 盈 益 盐

皿

两横平行，四竖平行等距。在左时两横抗肩，长横化提；在下时安置平稳。

钅部	钅 钆 针 钉 钊 钦 钓 钗

钅

三横平行等距抗肩，竖提劲挺。

上包围	同 问 冈 闪 间 闲 向 网

上框树其形，内部布白均匀，不可局促。

拓展训练	盘 盘 盘 钱 钱 钱
	周 周 周 问 问 问

古诗练习	水 入 北 湖 去, 舟 从 南 浦 回。
	遥 看 鹊 山 转, 却 似 送 人 来。

书法知识　　悬腕：书写时肘部离桌，右上臂凭空悬起，叫悬腕，也叫悬肘。悬腕能使肩部松开，全身之力无所挂碍，才得集注毫端，点画方能劲健。

横折弯钩							
先写短横，抗肩右行，至末顿笔向左下行笔写浮鹅钩，底部要放平。	几	凡	九	宄	虎	秃	旭
	几	凡	九	宄	虎	秃	旭

横折弯							
与横折弯钩相似，但不出钩，折部稍直，弯部放平。	没	设	沿	船	殳	投	殷
	没	设	沿	船	殳	投	殷

扁字勿长							
字形扁的字，不要刻意往长里写，否则失其稳重。	四	曰	上	回	么	工	土	而
	四	曰	上	回	么	工	土	而

拓展训练	仇 仇	仇	殴 殴	殴
	段 段	段	细 细	细

古诗练习	月	黑	雁	飞	高，	单	于	夜	遁	逃。
	欲	将	轻	骑	逐，	大	雪	满	弓	刀。

书法知识　飞白：亦称"草篆"，一种书写方法特殊的字体。笔画呈枯丝平行，转折处笔路毕显。相传东汉灵帝进修饰鸿都门工匠用刷白粉的帚子刷字，蔡邕得到启发而作飞白书。今人将书画的干枯笔触部分泛称为"飞白"。

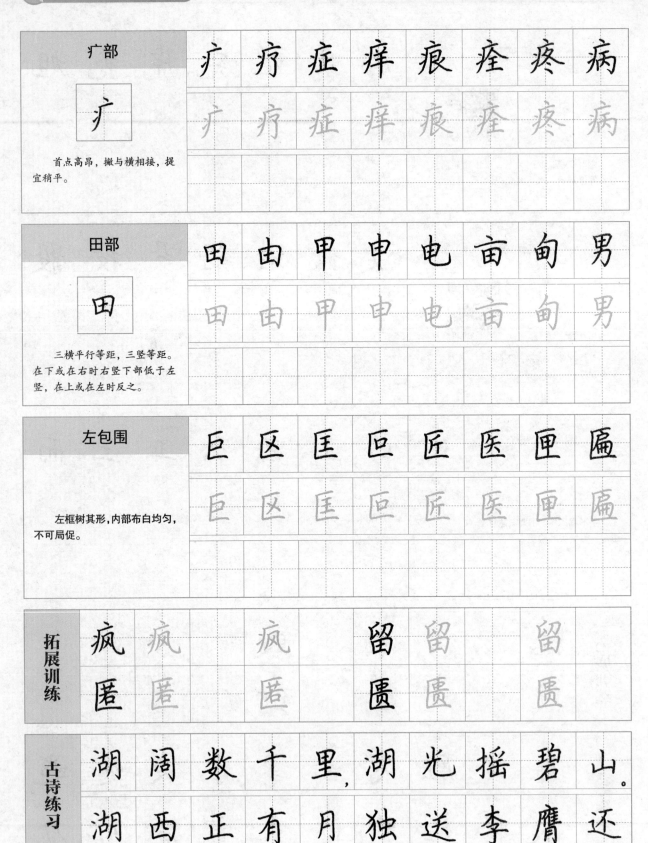

| 疒部 | 疒 | 疗 | 症 | 痒 | 痕 | 痊 | 疼 | 病 |

首点高昂，撇与横相接，提宜稍平。

| 田部 | 田 | 由 | 甲 | 申 | 电 | 亩 | 甸 | 男 |

三横平行等距，三竖等距。在下或在右时右竖下部低于左竖，在上或在左时反之。

| 左包围 | 巨 | 区 | 匡 | 叵 | 匠 | 医 | 匣 | 匾 |

左框树其形，内部布白均匀，不可局促。

拓展训练

| 疯 | 疯 | | 疯 | | 留 | 留 | | 留 |
| 匿 | 匿 | | 匿 | | 匮 | 匮 | | 匮 |

古诗练习

| 湖 | 阔 | 数 | 千 | 里， | 湖 | 光 | 摇 | 碧 | 山。 |
| 湖 | 西 | 正 | 有 | 月， | 独 | 送 | 李 | 膺 | 还。 |

书法知识　提腕：书法术语。肘部不离桌，腕凌空悬起，称为提腕。提腕，写小字尚可，书写大字时，仅仅提腕还不能上下纵横自如地运笔。

横斜钩

即短横加斜钩，短横抗肩右行，至末顿笔向下行笔写斜钩，折笔干净利索，斜笔力挺圆劲。

飞　风　凤　夙　凯　执　气
飞　风　凤　夙　凯　执　气

横折折撇

短横抗肩右行，折角顿笔即向左下行笔，稍行折向右，稍行再向左下作弧撇，撇画宜长。

及　廷　延　建　吸　汲　庭
及　廷　延　建　吸　汲　庭

无画包竖

"口"字内部没有笔画时，末横拦右竖。

口　右　吕　吸　呼　品　员　如
口　右　吕　吸　呼　品　员　如

拓展训练

氛　氛　氛　级　级　级
哭　哭　哭　咏　咏　咏

古诗练习

千山鸟飞绝，万径人踪灭。
孤舟蓑笠翁，独钓寒江雪。

书法知识　碑：碑的称谓最早起于汉。起初碑上并没有文字，后来在碑石上书写或镌刻死者功德，使之流传后世，于是发展成有字碑。刻碑盛行于东汉。

殳部	殳	没	投	设	殴	段	般	殷

上下短横平行，撇捺伸展。

水部	水	冰	永	求	隶	沓	泵	淼

竖钩挺直，短横抗肩，横撇
与竖不接，撇捺与竖接。

左正右斜	啰	吵	呱	找	代	伐	贱	影

左正者直立为主，右斜者左
靠为辅。

拓展训练

毅　　　毅　　　泉　泉　　泉
彭　　　彭　　　彰　彰　　彰

古诗练习

初谓鹊山近，宁知湖水遥。
此行殊访戴，自可缓归桡。

书法知识　　枕腕：书法术语。写字时把左手掌背平垫于右手腕下，称为枕腕，多用于书写小字，也有使用臂搁（多以竹、木制）等物代替左手垫于腕下的。

横撇弯钩（在左）	队	阳	阴	阮	阶	陨	陡
即横撇加弯钩，短横抗肩右行，折笔向左下短撇，转而向右下，慢慢转笔写弯钩，弯钩稍小。	队	阳	阴	阮	阶	陨	陡

横撇弯钩（在右）	邓	邙	祁	邦	邻	郊	郑
与在左的横撇弯钩写法基本相同，唯横撇与弯钩相接处不需要缓慢过渡，弯钩稍大。	邓	邙	祁	邦	邻	郊	郑

有画包横	日	目	田	晶	佃	奋	画	国
"口"字内部有笔画时，右竖拦末横。	日	目	田	晶	佃	奋	画	国

拓展训练	陌部	陌部		陌部		险圆	险圆		险圆

古诗练习	松	下	问	童	子,	言	师	采	药	去。
	只	在	此	山	中,	云	深	不	知	处。

书法知识　　墓志：魏晋南北朝时，由于朝廷明令禁碑，人们把碑石缩小，放于墓室之中，这个缩小了的碑，就叫墓志。

| 爫部 | | 爫 | 妥 | 孚 | 受 | 采 | 觅 | 爱 | 奚 |

为"爪"部之变异,位于字头。撇稍平,下三点呈导下之势。

| 欠部 | | 欠 | 次 | 欢 | 欤 | 欧 | 软 | 欣 | 款 |

首撇上扬,短横抗肩,两撇上下对齐,捺笔舒展。

| 左斜右正 | | 划 | 歼 | 须 | 外 | 细 | 殊 | 殒 | 殚 |

左斜者右靠为辅,右正者直立为主。

| 拓展训练 | 爵 | | | 歌 | | | |
| | 歉 | | | 殃 | | | |

| 古诗练习 | 肠 | 断 | 枝 | 上 | 猿, | 泪 | 添 | 山 | 下 | 樽。 |
| | 白 | 云 | 见 | 我 | 去, | 亦 | 为 | 我 | 飞 | 翻。 |

书法知识 执笔法:写毛笔字的抓笔方法。大致有双苞(双钩)、单苞(单钩)、回腕、撮管、握管、捣管等。"五字执笔法"(即撅、压、钩、格、抵)如今被认为是最符合生理机能而又行之有效的方法。

横折折折钩	乃	孕	仍	奶	汤	秀	场
短横扛肩，折角向左下写短撇，稍行折向右，稍顿折向左下，至末出钩。	乃	孕	仍	奶	汤	秀	场

竖折	断	区	匝	匡	山	函	画
即竖加横，竖末之顿笔即为横笔起笔之顿笔，要求自然有力。	断	区	匝	匡	山	函	画

纵腕有力	戈	成	飞	风	式	或	戍	气
纵腕之笔，力若张弓，忌身弯力弱。	戈	成	飞	风	式	或	戍	气

拓展训练	扔	扔	扔	世	世	世
	氧	氧	氧	氢	氢	氢

古诗练习	春	种	一	粒	粟，	秋	收	万	颗	子。
	四	海	无	闲	田，	农	夫	犹	饿	死。

书法知识　帖：帖最早指书写在帛或纸上的墨迹原作。因墨迹难以广传，于是人们把它们刻在木头、石头上，多次拓制，广为流传，这样，就把刻于木石上的这些原来的墨迹作品及其拓本统称"帖"。刻帖的目的是传播书法，是为书法研习者提供历代名家法书的复制品。

牛部	牛	牟	牢	告	牡	物	牧	特

牛 在左时长横化提，在下时竖可用悬针。

攵部	攵	收	攻	攸	改	孜	放	败

攵 首撇上扬，短横抗肩，两撇上下对齐，捺笔舒展。

上斜下正	名	炙	鸢	贯	势	负	忽	盏

上斜者取其势，下正者取其力。

拓展训练

| 犊 | 犊 | | 犊 | 教 | 教 | | 教 |
| 盈 | 盈 | | 盈 | 烈 | 烈 | | 烈 |

古诗练习

危 楼 高 百 尺，手 可 摘 星 辰。
不 敢 高 声 语，恐 惊 天 上 人。

书法知识 运笔：书法术语。指字的点画书写过程。南宋姜夔《续书谱》称："大抵执之欲紧，运上欲活，不可以指运笔。当以腕运笔。执之在手，手不主运；运之在腕，腕不主执。"

竖钩	水	小	则	示	杂	打	寸

即竖加钩，竖末稍向左下轻顿即迅速向左上出锋，钩部不能太长。

竖提	以	氏	民	衣	辰	表	展

先写竖画，至末稍稍左偏，顿笔，向右上提出。注意提笔前顿笔的左收蓄势。

横腕俊秀	乙	儿	几	九	也	乞	色	包

横腕之笔要圆润俊秀，忌生硬粗拙。

拓展训练

泰 畏　　　泰 畏　　事 乱　　事 乱

古诗练习

解落三秋叶，能开二月花。
过江千尺浪，入竹万竿斜。

书法知识 临摹："临"与"摹"是传统有效的练习笔画结构的方法。"临"是将字帖摆在面前，对照着写。"摹"分为"描红"和"仿影"两种。"描红"是用墨笔在印有红字的纸上描字，"仿影"是用薄纸蒙在字帖上隔纸描写。

日部	日	旦	旧	早	旬	旭	时	杳

其身勿扁，三横平行等距。在上时，右竖下部与横接；在其他部位时，右竖下部低于末横。

贝部	贝	贞	负	则	贡	员	财	贬

两竖平行，撇为竖撇，平均分割于框。在左时点靠上，在其他部位点靠下。

上正下斜	皂	易	毒	思	戛	罗	另	芳

上正者竖笔垂直，下斜者重心不倒。

拓展训练	晓		晓	购	购	购
	恶		恶	梦	梦	梦

古诗练习	落	日	清	江	里，	荆	歌	艳	楚	腰。
	采	莲	从	小	惯	十	五	即	乘	潮。

书法知识　双钩：书法术语。①复制法书的技法。②一种书写"空心字"的技法。③执笔法的指法名称，与"单钩"相对。今以食指与中指上节、中节之间相叠，钩住笔管，称为"双钩"。

竖弯	四	西	洒	酉	酒	醒	栖

短竖下行，自然向右弯，末端自然收笔。

竖弯钩	儿	兀	元	也	允	兄	乱

落笔下行，至末渐行渐转为向右行笔，至末提笔出钩。竖稍斜，弯底部放平，又叫"浮鹅钩"。

四点错落	杰	点	羔	烈	烹	焦	照	黑

下四点应有高低、大小、方向之别。

拓展训练　牺　热　此　煮

古诗练习

牧 童 骑 黄 牛，歌 声 振 林 樾。
意 欲 捕 鸣 蝉，忽 然 闭 口 立。

书法知识　中锋：书法术语。指行笔时将毛笔的主锋保持在点画的中线，以区别于偏锋。用中锋写出来的线条浑圆而有质感。

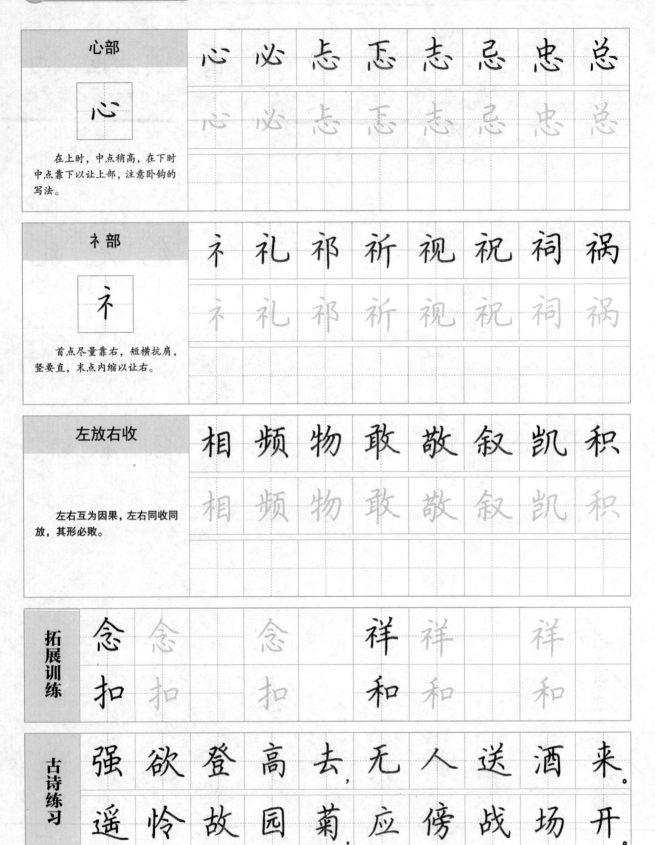

心部	心	必	忐	忑	志	忌	忠	总

心

在上时，中点稍高，在下时中点靠下以让上部，注意卧钩的写法。

礻部	礻	礼	祁	祈	视	祝	祠	祸

礻

首点尽量靠右，短横抗肩，竖要直，末点内缩以让右。

左放右收	相	频	物	敢	敬	叙	凯	积

左右互为因果，左右同收同放，其形必败。

拓展训练

念 扣　　　　　祥 和

古诗练习

强欲登高去，无人送酒来。
遥怜故园菊，应傍战场开。

书法知识　单钩：一种执笔法。以食指钩笔管与拇指形成钳制状，余指皆垫于笔管后方。因只以一食指主钩，故称"单钩"。与当前写钢笔字的握笔一样。世传北宋苏轼作书用此法。

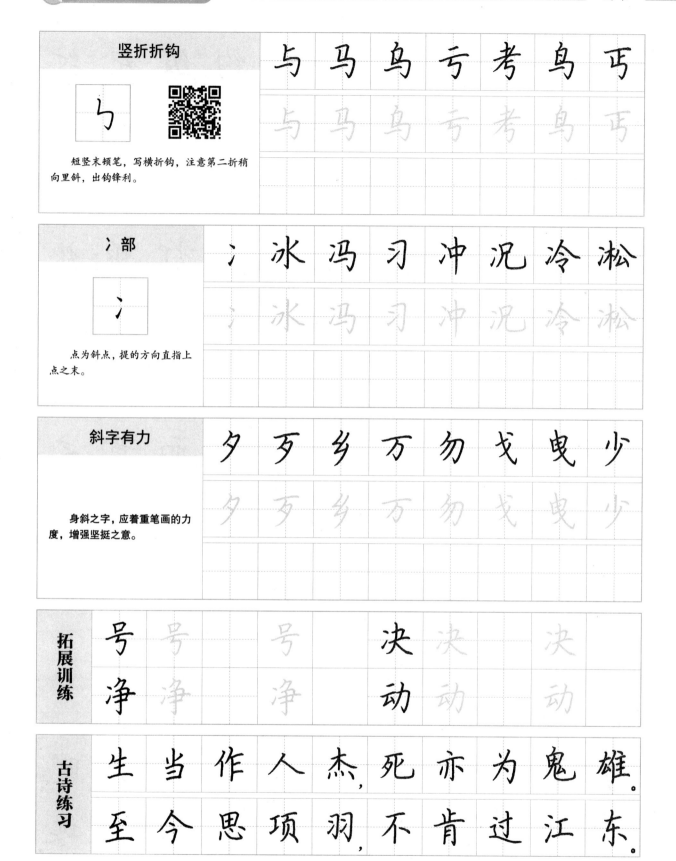

| 竖折折钩 | 与 | 马 | 鸟 | 亏 | 考 | 鸟 | 丐 |

短竖末顿笔，写横折钩，注意第二折稍向里斜，出钩锋利。

| 冫部 | 冫 | 冰 | 冯 | 习 | 冲 | 况 | 冷 | 淞 |

点为斜点，提的方向直指上点之末。

| 斜字有力 | 夕 | 歹 | 乡 | 万 | 勿 | 戈 | 曳 | 少 |

身斜之字，应着重笔画的力度，增强坚挺之意。

拓展训练　号　净　　　决　动

古诗练习

生 当 作 人 杰，死 亦 为 鬼 雄。
至 今 思 项 羽，不 肯 过 江 东。

书法知识　聚墨痕：书法术语。中锋运笔，因笔锋常在点画中间行进，笔画的中央线着墨最多，凝聚成一道浓重的墨线痕迹，故得名。

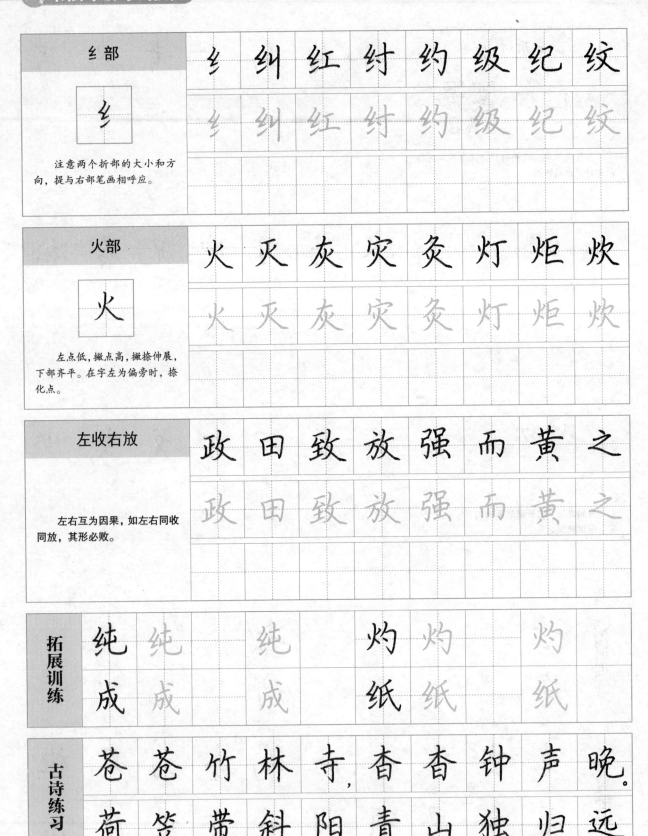

纟部	纟 纠 红 纣 约 级 纪 纹
火部	火 灭 灰 灾 灸 灯 炬 炊
左收右放	政 田 致 放 强 而 黄 之

注意两个折部的大小和方向，提与右部笔画相呼应。

左点低，撇点高，撇捺伸展，下部齐平。在字左为偏旁时，捺化点。

左右互为因果，如左右同收同放，其形必败。

拓展训练：纯 成 灼 纸

古诗练习：苍苍竹林寺，杳杳钟声晚。荷笠带斜阳，青山独归远。

书法知识　九宫格：是我国书法史上临帖写仿的一种界格，又叫"九方格"，即在纸上画出若干大方框，再于每个方框内分出九个小方格，以便确定每个笔画的准确定位。

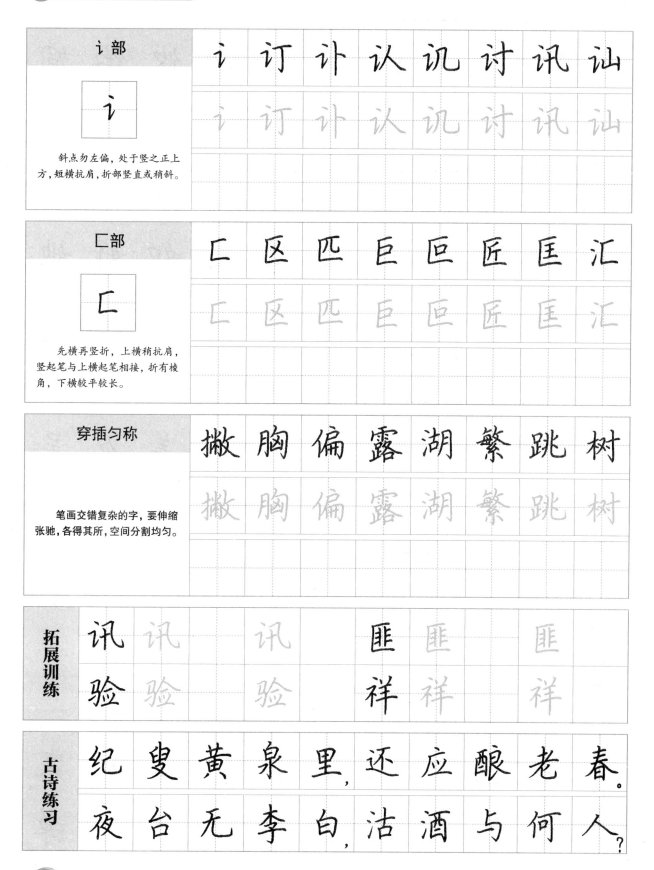

讠部	讠	订	计	认	讥	讨	讯	讪
讠	讠	订	计	认	讥	讨	讯	讪

斜点勿左偏,处于竖之正上方,短横抗肩,折部竖直或稍斜。

匚部	匚	区	匹	巨	匼	匠	匡	汇
匚	匚	区	匹	巨	匼	匠	匡	汇

先横再竖折,上横稍抗肩,竖起笔与上横起笔相接,折有棱角,下横较平较长。

穿插匀称	撇	胸	偏	露	湖	繁	跳	树
	撇	胸	偏	露	湖	繁	跳	树

笔画交错复杂的字,要伸缩张驰,各得其所,空间分割均匀。

拓展训练	讯 验	讯 验	讯 验	匪 祥	匪 祥	匪 祥

古诗练习	纪	叟	黄	泉	里,	还	应	酿	老	春。
	夜	台	无	李	白,	沽	酒	与	何	人?

书法知识　侧锋:书法术语,用笔的一种技法。指在下笔时笔锋稍偏侧,落墨处即显出偏侧的姿势。清代朱和羹《临池心解》称:"正锋取劲,侧笔取妍。王羲之书《兰亭》,取妍处时带侧笔。"这种笔法最初在隶书向楷书演变时形成。

饣部	饣 饥 饨 饪 饫 饮 饴 饲

饣 首撇长，横钩短，竖之起笔靠左，注意提笔稍左移以取势。

女部	女 妆 妄 要 妥 如 好 她

女 在字侧首撇长，在字下首撇短，其形要正。在左时横不穿过次撇。

上收下展	哀 装 裴 恩 晃 盖 炎 吴

上下互为因果，如上下同收同展，其形必败。

拓展训练：饱 妻 妇 弄

古诗练习：泠泠七弦上，静听松风寒。古调虽自爱，今人多不弹。

书法知识　蚕头雁尾：指的是隶书的横画的形状。起笔部位回锋逆入，形状像蚕虫的头，收笔部位顺锋挑出，形状像大雁的尾巴。隶书的横画要求舒展自然，飘逸圆劲。

刂部	刂 刊 刘 刑 列 则 刚 利
刂 短竖竖直或微斜,竖钩挺直,出钩锋利。	
丷部	丷 兰 半 关 并 兑 首 益
丷 先点后撇,侧点短劲,短撇起笔稍高。	
强化主笔 字中必有一笔是主,担其脊梁,余笔是宾,辅以装饰。	中 左 少 勾 戈 与 共 毛
拓展训练	删 犹 兽 事
古诗练习	天 下 伤 心 处, 劳 劳 送 客 亭。 春 风 知 别 苦, 不 遣 柳 条 青。

书法知识　　折锋:书法术语。笔画转换方向时的一种用笔技法。指笔势折叠带方者,以别于转笔,即笔锋在转换方向时,由阳面翻向阴面,或由阴面翻向阳面。折锋利于点画方劲和创造姿势。清代包世臣语:"以搭锋养势,以折锋取姿。"

| 彳部 | | 彳 | 行 | 彻 | 彷 | 役 | 往 | 彼 | 径 |

上撇短下撇长，下撇起笔在上撇之中部，竖接下撇之中上部。

| 犭部 | | 犭 | 犹 | 犯 | 狄 | 狂 | 犹 | 狈 | 狼 |

笔画均斜而其形正。

| 上展下收 | | 条 | 桼 | 音 | 登 | 背 | 峦 | 岱 | 昏 |

上下互为因果，展要展得舒展洒脱，收要收得凝重稳健。

| 拓展训练 | 徒 | 徒 | | 徒 | 猫 | 猫 | | 猫 |
| | 釜 | 釜 | | 釜 | 夸 | 夸 | | 夸 |

| 古诗练习 | 日 | 暮 | 苍 | 山 | 远， | 天 | 寒 | 白 | 屋 | 贫。 |
| | 柴 | 门 | 闻 | 犬 | 吠， | 风 | 雪 | 夜 | 归 | 人。 |

书法知识 　横平竖直：这是点画结构的一个基本原则。"横平竖直"的"平"，不是指水平，而是指平衡，横画必须稍带斜势。竖要直，不可歪斜倾侧。"横像扁担竖像柱"。

亻部	亻 亿 仁 仆 仇 仍 仅 化

亻

撇用短撇，弯度不要太大，竖起笔锋与撇接，竖要直。

人部	人 个 今 从 介 以 令 合

人

撇弯度不要大，捺首与撇接，捺底部与撇底部平齐或稍高。

中宫收紧	政 吹 黄 河 奈 波 弯 敏

字的中部的笔画要匀而密，求其稳重，四围笔画开张，求其精神。

拓展训练	件 是	会 紧

古诗练习	不 向 东 山 久，蔷 薇 几 度 花。
	白 云 还 自 散，明 月 落 谁 家。

书法知识　　裹锋：书法术语，用笔的一种技法。起笔呈反方向运行，"欲上先下，欲左先右"。以后凡是取圆势用笔，笔锋内敛于点画中间的称"裹锋"。"裹锋"一般用于隶、篆。

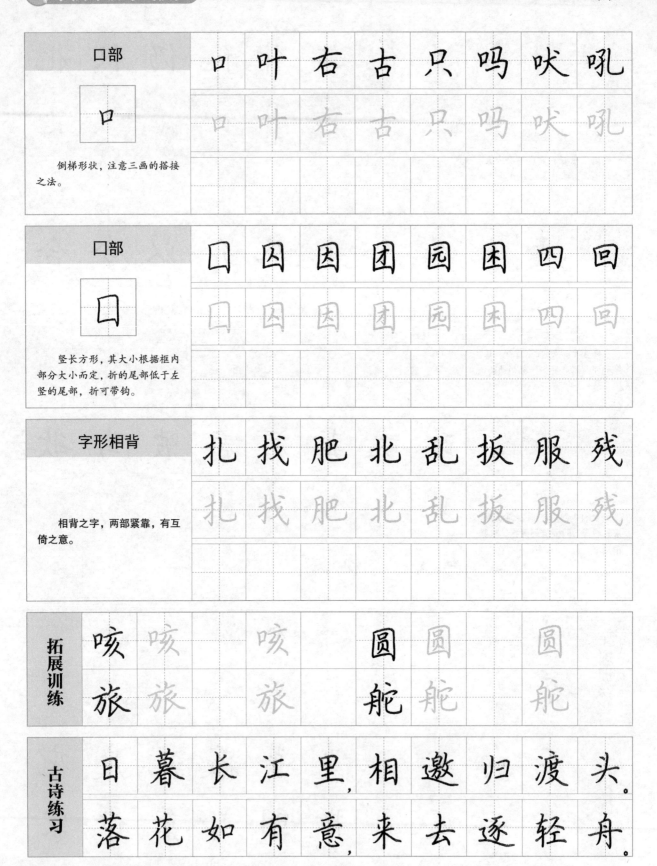

口部	口 叶 右 古 只 吗 吠 吼
口	口 叶 右 古 只 吗 吠 吼

倒梯形状，注意三画的搭接之法。

口部	口 囚 因 团 园 困 四 回
口	口 囚 因 团 园 困 四 回

竖长方形，其大小根据框内部分大小而定，折的尾部低于左竖的尾部，折可带钩。

字形相背	扎 找 肥 北 乱 扳 服 残
	扎 找 肥 北 乱 扳 服 残

相背之字，两部紧靠，有互倚之意。

拓展训练	咳 咳 咳 圆 圆 圆
	旅 旅 旅 舵 舵 舵

古诗练习	日 暮 长 江 里，相 邀 归 渡 头。
	落 花 如 有 意，来 去 逐 轻 舟。

书法知识　布白匀称：是指按照字形笔画，对每字、每笔作适当安排，而不是"均匀"的意思。字有长短、大小不同，笔画有多少、斜正的不同，要统筹考虑，不要死板地大小划一，失去了书法的表现力。

勹部	勹	勺	匀	句	勾	旬	甸	勿

由短撇和横折钩组成。内部笔画多则横折钩稍直，内部无笔画或少笔画，则横折钩稍内斜。

几部	几	凡	元	叽	秃	凫	抗	凳

撇用竖撇，横折弯钩起笔与撇起笔相接，折稍向左斜，弯底部要平，直钩向上。

诸横收放	言	三	佳	兼	秉	难	意	亲

多横的字，要收放有致，全收全放，其形必败。

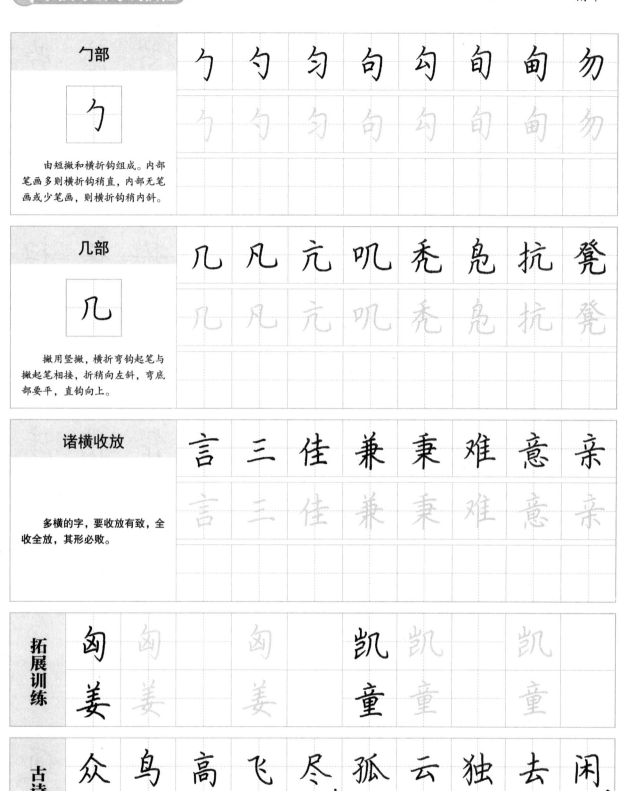

拓展训练　匈　凯　姜　童

古诗练习
众 鸟 高 飞 尽, 孤 云 独 去 闲。
相 看 两 不 厌, 只 有 敬 亭 山。

书法知识　逆锋：书法术语，运笔的一种技法。为了藏锋铺毫，用逆入的方法，"欲下先上，欲右先左"，以反方向行笔的称"逆锋"。用逆锋作字，往往具有苍劲老辣的意趣。"裹锋"为"逆锋"的一种。

艹部	艹	艺	节	芒	芝	芗	芯	劳

下宽则"艹"部窄，下窄则"艹"部宽，第一竖稍斜，第二竖化为短撇。

扌部	扌	扎	打	扑	扑	扔	扛	扫

短横抗肩，竖直而挺，由短横三分之二处穿下，提的起笔位置稍靠左。

字形相向	纫	幼	纣	劝	场	铅	稍	涉

相向之字，两部要互相避让，收缩纵展合理。

拓展训练	花		花	芽		芽
	抓		抓	扭		扭

古诗练习	月	暗	送	湖	风，	相	寻	路	不	通。
	菱	歌	唱	不	彻，	知	在	此	塘	中。

书法知识　　笔势连贯：是指点画之间的气势相连，互相呼应，合为一体。而不是每一笔都各自为政、互不相干。注意了点画间的连贯，就能使整个字显得有气势而生动。

又部	又	叉	支	友	反	双	劝	对

又

短横抗肩，撇笔劲挺，捺笔舒展，撇捺宜平，可不封口。末笔斜捺可根据情况写为反捺。

刀部	刀	刃	切	分	召	初	负	免

刀

先横折钩，再撇，折部稍斜，钩部劲挺，撇弯度勿大。

诸撇参差	杉	衫	参	彪	影	彰	须	彦

多撇的字，要收放有致，撇的指向有别。

拓展训练　发　颜　卷　彩

古诗练习

船下广陵去，月明征虏亭。
山花如绣颊，江火似流萤。

书法知识　金错刀：①对颤笔书写的美称。《谈荟》载："南唐李后主善书，作颤笔摎曲之伏，遒劲如寒松霜竹，谓之金错刀。"②字体名。唐代张彦远《法书要录》载有金错刀书一体。具体形式与风貌今已不可考查。

门部	门	闩	闪	问	间	闰	闲	闯

门

笔顺为点—竖—横折钩，上稍窄下稍宽，左稍短右稍长。

辶部	辶	迂	过	辽	达	述	迁	运

辶

形状呈弧度上抱之势，斜点靠右，短横抗肩，长捺一波三折，注意横折折撇的写法。

同形三叠	品	晶	森	磊	众	淼	桑	鑫

分布均匀，既不拥挤，也不松散。上部正，下两部左收右放。

拓展训练

闭　　闭　　　　闭　　　　阀　　阀　　　阀
进　　进　　　　进　　　　逊　　逊　　　逊

古诗练习

玉 溆 花 争 发， 金 塘 水 乱 流。
相 逢 畏 相 失， 并 著 木 兰 舟。

书法知识　　运腕：书法术语，用笔的一种技法。写字除要有正确的执笔法，还需要有正确的运腕法。北宋黄庭坚称"腕随己意左右"，手腕上下提按和左右调正笔锋，"令笔心常在点画中行"，写出的笔道才坚劲圆浑，富有质感。

氵部

氵

三点呈弧形排列，两点下俯，提的方向直指首点之末。

氵 江 汁 汇 汉 池 汶 沉

忄部

忄

先两点再竖，左点低右点高，左点直右点斜，竖劲挺有力度。

忄 忆 忙 忖 忧 忻 快 怅

同形相叠

上紧而下松，上小而下大。

吕 昌 圭 多 炎 出 哥 串

拓展训练

河 河 河 污 污 污
情 情 情 怀 怀 怀

古诗练习

划 却 君 山 好，平 铺 湘 水 流。
巴 陵 无 限 酒，醉 杀 洞 庭 秋。

书法知识 筋书：书法术语。劲健道丽的点画谓之"筋书"。东晋卫夫人《笔阵图》称："善笔力者多骨，不善笔力者多肉，多骨微肉者谓之筋书。多力丰筋者圣。"颜真卿、柳公权之书有"颜筋柳骨"之称。

宀部	宀 宁 它 守 安 字 灾 宋

宀

首点位于"一"部正上方，左点稍直，长横稍斜，短钩似"鸟之视胸"乃妙。

广部	广 庞 庄 庆 应 床 序 庙

广

斜点处横之中上部，撇与横的起笔相接，横稍抗肩。

同形相并	从 林 朋 丛 丽 琴 婴 羽

左紧而右松，左收而右放。

拓展训练　宝　宝　宠　宠　底　底　度　度

古诗练习　妾有罗衣裳，秦王在时作。为舞春风多，秋来不堪著。

书法知识　　按提：书法术语。写字运笔中起落的动作。按，是笔往下顿；提，是笔向上抬。行笔有按提动作，就能保持笔锋居中、笔画丰富。